KB094616

Rudolf Steiner  1861~1925

천사는
우리의
아스트랄체
속에서
무엇을
하는가?

**천사는**

**우리의**

**아스트랄체**

**속에서**

**무엇을**

**하는가?**

루돌프 슈타이너 강연

최혜경 옮김

1918

취리히

Rudolf Steiner

## 루돌프 슈타이너의 강연집을 읽기 전에

인지학적 정신과학*의 근거를 형성하는 데는 양 기둥이 있다. 그 중 하나는 루돌프 슈타이너가 글로 써서 세상에 내보낸 것들이다. 이에는 처음부터 단행본으로 저술한 책 외에도 서간문과 논설문 등이 해당한다. 다른 기둥은 루돌프 슈타이너가 1900년부터 1924년까지 신지학 협회(나중에는 인지학 협회) 회원들과 일반인들을 대상으로 한 약 6000여 회의 강연 내용이다.

슈타이너 자신은 미리 쓴 원고 없이 자유롭게 강연한 내용이 활자로 인쇄되어 전파되는 것을 전혀 원하지 않았다. 슈타이너의 강연 방식을 고찰해 보면 그 이유가 분명해질 것이다. 강연이란 보통 연사가 미리 정한 내용을 청중의 영적인 상태와 무관하게 전달하는 것이다. 슈타이너는 청중의 영적인 요구사항을 직접적으로 강연에 참작했다. 청중의 '영혼생활 속에 일어나는 울림을 귀기울여 듣고' 그렇게 '듣고 있는

---

*인지학적 정신과학_ "인간 존재 속의 정신적인 것을 우주 속의 정신적인 것으로 인도하는 인식의 길"(출처 『인지학의 원칙』 GA 26) 정신과학의 방법은 신비주의적으로 모호하지 않고, 현대 자연과학적 방법과 똑같이 완전한 의식의 명료한 사고를 통해 정신세계에 학문적으로 정확하게 접근하도록 한다.

*본문에서 GA는 슈타이너 전집을 말한다.

것 바로 그 한복판에서 생생하게 공생하는 동안 강연의 골조가 생겨났기 때문에, 그런 전후문맥에서 시간적, 공간적으로 완전히 분리된 책은 실제의 강연과 거리가 먼 것이 될 위험이 다분하다. 바로 그래서 슈타이너는 "말로 한 표현이 말로 한 그대로 남아 있기를" 바랐다.

그런데 슈타이너의 그런 바람과는 달리 세월이 흐르면서 청중이 강연 중에 받아 적은 필사본이 꾸준히 확산되었다. 게다가 그 내용이 불완전하고 심지어는 틀린 부분도 있었기 때문에, 슈타이너는 그런 필사본을 어떤 식으로든 교정해야 하는 상황에 있었고, 그 과제를 마리 슈타이너에게 맡겼다. 속기사 선택, 출판을 위한 문장 검토, 모든 원고와 필사본 관리 등의 임무를 맡은 마리 슈타이너는 후일 〈루돌프 슈타이너 전집〉 발행을 위한 기준 노선을 제시했다. 현재까지 루돌프 슈타이너 유고국이 다소 간의 차이가 있다 해도 그 기준에 따라 약 360여 권의 전집을 발행했다.

루돌프 슈타이너는 시간이 부족해 필사본 중 극소수만 교정할 수 있었다. 그러므로 강연집을 읽는 독자는 "내가 검토하지 않은 필사본에 부정확한 부분이 있으리라" 는 슈타이너의 말을 반드시 염두에 두어야 한다.

_최혜경

천사는

우리의

아스트랄체

속에서

무엇을

하는가?

01   인지학적 정신 인식은 이론적인
세계관에 그쳐서는 안 됩니다. 그것은 생활의
내용이 되어야 하고 삶을 위한 힘이 되어야
합니다. 인지학적 세계 인식이 내면에서 점점
확고하게 자리잡아 실로 완전히 생생하게
된 상태, 우리가 그 상태에 들어선 경우에만
인지학이 그 사명을 다했다고 할 수 있습니다.

우리는 인지학적 정신 인식과 우리 영혼을
하나가 되게함으로써 일정한 관계에서 보아
완전히 특정한, 의미심장한 인류 발달 과정을
위한 파수꾼이 되기 때문입니다.

02    이러저러한 세계관을 신봉하는
사람들은 예외 없이 사고 내용과 표상을
인간의 영혼 속에나 있는 것으로 여길
뿐 세계 연관성 안에 존재하는 어떤 것은
아니라고 확신합니다. 뿐만 아니라 그런
세계관을 지닌 사람들은, 인간은 감각적으로
드러나는 활동을 통해서만 무엇인가 성취할
수 있고, 이상으로서의 사고 내용과 표상
역시 그런 식으로만 세상에서 구현할 수
있다고 믿습니다. 그런데 인지학적 의향은
전제합니다. 우리의 사고 내용과 표상을
구현하기 위해 눈에 보이는 활동을 통한

길, 감각 세계 안에서의 활동을 통한 길
외에도 다른 길을 발견해야 한다는 점을
명확하게 알고 있어야 한다고. 바로 이 인생
불가피성의 인식 속에, 인지학을 하는 사람은
특정 방식으로 시대 징후를 감시하는 일에
동참해야 한다는 요구 사항이 들어 있습니다.
세계 발달 안에서 실로 적잖은 일이 일어나고
있습니다. 인간 스스로 위치된 세계 발달
안에서 일어나는 것에 대한 진정한 이해를
구하려는 노력은 특히나 현시대를 살아가는
사람들에게 의무입니다.

03     개인과 관련된 일인 경우, 그 개인의
주변에 있는 외적인 정황 뿐 아니라 그의
발달 상황도 고려해야 한다는 것은 주지의
사실입니다. 아주 대략적인 생각이라고
말하고 싶은데, 여러분이 다음과 같은 상황을

한번 숙고해 보십시오. 지금 일어나는 일들,
외적으로 지각할 수 있는 사건들, 그것들이
인간 주변에 있다고 합시다. 다섯 살, 열 살,
스무 살, 서른 살, 쉰 살, 일흔 살 먹은 사람들
주변에 어떤 사건이 벌어집니다. 이성이 있는
사람이라면 그 누구도, 다섯 살이나 열 살
먹은 아이, 스무 살이나 서른 살이 된 성인,
오십 먹은 장년층, 일흔 넘은 노인 등 각
연령대의 사람이 그 사건을 똑같은 태도로
대해야 한다고는 주장하지 않겠지요. 사람이
외부 환경에 어떤 태도를 취해야 하는지,
그것은 인간 자체의 발달 상황을 참작할
때에만 결정될 수 있습니다. 개별적인 인간을
예로 삼는 경우에는 누구든 이 점을 인정할
것입니다. 그런데 각 개인이 아주 특정한
발달의 길을 거치는 바와 똑 같이, 아동기에,
중년기에, 노년기에 특정한 의미에서 각기

다른 양식의 힘을 지니는 바와 똑같이, 전체로
본 인류 역시 그 발달 과정에서 항상 다른
힘을 지닙니다. 20세기의 인류는 그 본질에
있어서 15세기 전이나 골고다의 신비가
일어났던 시대, 혹은 훨씬 더 이전의 시대에
살았던 인류와 조금 다르다는 점을 참작하지
않는다면, 인간은 특정한 의미에서 세계
발달 속에서 잠자면서 존재하게 됩니다.
방금 이야기한 점에 유의하지 않으려는
태도, 인간과 인류에 관해 일괄해서 완전히
추상적으로만 말할 수 있으며 인류가 발달
과정을 거치도록 되어있다는 사실은 알아야
할 필요가 없다는 생각, 바로 이것이 우리
시대의 가장 지대한 결함입니다. 바로 이것이
우리 시대의 오류이고 미혹입니다.

04    이제 이런 질문이 떠오릅니다. "이

주제와 관련해서 어떻게 더 정확히 통찰할 수 있는가?" 우리는 인류 발달에 관해 한 가지 중요한 사항을 자주 논의해 왔습니다. 그 논의에 따르면 기원전 800년부터 기독교 서력에 따라 대략 15세기까지의 그리스-라틴 시대를 이른바 오성영혼 혹은 감성영혼의 문화 시대라고 볼 수 있습니다. 그리고 15세기 이래로는 의식영혼의 시대라고 할 수 있습니다. 이로써 인류 발달에 있어서 특히 현시대에 해당하는 본질적인 특성이 설명되었습니다. 또한 15세기부터 대략 4천 년대까지, 4천 년대 초반까지 이어질 인류 발달 안에서 고려되는 가장 근본적인 힘은 의식영혼이라는 점도 알 수 있습니다. 그런데 진정한 정신과학에서는 어떤 조건 아래에서도 일반성과 추상성에 머물러서는 안됩니다. 구체적인 사실을 파악할 수 있는지 주시해야 합니다. 추상성은 아주 진부한 호기심을 위해서나 쓸모있을 뿐입니다. 정신과학을 생활의 내용으로, 삶을 위한 힘으로 만들고자 한다면, 호기심을 지니는 정도에 그쳐서는 안 되고, 진지한 태도로 임해야 합니다. 부디 방금 이야기 한 바와 같은 추상성에 머무르지 마십시오. 우리가 의식영혼 시대에, 특히 의식영혼의 발달이 고려되는 시대에 살고 있다는 사실, 이는 전적으로 옳을 뿐 아니라 극히 중요합니다. 그런데 이 사실을 아는 상태에만 멈춰 서 있어서는 안됩니다.

05   주제에 대해 일정한 통찰에 이르기를 원한다면 무엇보다도 인간 존재 자체를 조금 더 정확하게 주시해야 합니다. 있는 그대로 인간을 정신과학적 의미에서 위에서 아래로 내려가면서 분류해 봅시다. 우선 자아와

아스트랄체가 있습니다. 근래 들어 제가
형성력체라고도 명명한 에테르체가 있고
육체가 있습니다. 그런데 인간 존재의 이
지체들 중에서 우리가 일단 그 내부에서 영적,
정신적으로 살면서 활동하는 지체를 말하고자
한다면, 사실 자아만 그에 해당합니다.
자아는 지구 발달을 통해서, 그리고 그
발달을 진두지휘하는 형태의 정신들 *을
통해서 우리에게 주어졌습니다. 우리 의식
안으로 들어서는 모든 것은 근본적으로
우리의 자아를 통해서 들어섭니다. 그리고
자아가 _비록 나머지 세 지체를 통해서이기도 하지만_
외부 세계와 연결되는 방식으로 전개되지
않는다면, 우리는 잠들어서 깨어날 때까지의

---

* 형태의 정신_Exusiai 혹은 Elohim, 초감각적 위계
서열 중 두 번째 범주의 마지막 단계에 속하는 정
신들

상태처럼 의식을 지닐 수 없습니다. 우리를
주변 세계와 연결하는 것은 바로 자아입니다.
아스트랄체는 지구 발달 이전에 있었던
옛 달의 발달을 거치면서 생겨났습니다.
에테르체는 더 이전에 있었던 옛 태양의
발달을 통해, 육체의 첫 시초는 옛 토성의
발달을 통해 생겨났습니다.

06      그런데 여러분이 제가 저술한
『윤곽으로 본 신비학』*에서 인간 지체에 관한
부분을 읽어 보시면, 오늘날의 인간이 얼마나
복합적인 방식을 거쳐서 앞에서 이야기한 네
지체를 갖추게 되었는지 알게 될 것입니다.
신비학이 전해주는 그 사실들에서 초감각적
위계 서열의 모든 정신이 인간 존재의 세
가지 껍데기를 발달시키는 데에 참여해서

~
* 『Die Geheimwissenschaft im Umriß』(GA 13) 1910

작용했다는 것을 알아볼 수 있지 않습니까?
육체로서, 에테르체로서, 아스트랄체로서
인간을 휘감고 있는 것들이 극히 복잡다단한
성질의 것임을 알아볼 수 있지 않습니까?
그런데 이 위계 서열들은 인간의 껍데기를
완성시킨 후에 그저 물러나서 뒷짐만 지고
있지 않습니다. 이들은 지금도 역시 계속해서
인간의 껍데기 속에서 일하고 있습니다. 자연
과학이나 생리학, 혹은 생물학이 통상적으로
말하듯 인간이 살과 피, 뼈 등으로만 구성되어
있다고 믿는 사람, 그 사람은 인간을 절대
이해할 수 없습니다.

07 인간이 지니는 껍데기 존재의
실재성에 접근해 보면, 그 껍데기 존재를
진정으로 고찰해 보면, 우리가 의식하지
못하는 그 껍데기 속에서 일어나는 모든

것들을 위해 고차적 위계 서열의 정신 존재들이 얼마나 계획적이고 얼마나 지혜롭게 서로 협력해서 일하는지를 볼 수 있습니다. 저는 스케치하듯 대략의 구조만 잡아보았다고 말하고 싶은데, 『윤곽으로 본 신비학』에서 초감각적 위계 서열의 개별적 정신들이 인간의 껍데기를 만들어내기 위해서 서로 협력하는 부분을 읽어 보십시오. 그러면 여러분은 그 문제가 세부 사항에 있어서 얼마나 복잡다단하게 작용하는지 짐작할 수 있을 것입니다. 그럼에도 불구하고 인간을 이해하고자 한다면, 더욱더 세부적으로, 더욱더 구체적으로 그 문제를 다루어야 합니다.

08    사실 이 영역에서는 구체적인 질문조차 하기가 너무 어렵습니다.

구체적으로 질문하기, 그것이 상상할 수 없이 복합적입니다. 어떤 사람이 다음과 같이 질문한다고 상상해 보십시오. "현재의 인류 발달기, 그러니까 1918년에, 예를 들어 위계 서열 중에서 세라피네,* 나 뒤나미스,** 라고 하는 고차적 정신 존재들은 과연 인간의 에테르체 속에서 무엇을 하는가?" 지금 루가노***에 비가 내리는지 내리지 않는지를 물어보듯이 그런 질문도 한번쯤 던져 볼 수 있습니다. 그런데 어떤 질문이든 그저 곰곰이 생각만 하거나 이론만 만들어낸다고 해서 답이 나오지는 않습니다. 사실에 접근함으로써만 답을 얻을 수 있습니다. 지금 루가노에 비가 내리는지

---

* 사랑의 정신_ Seraphine, 초감각적 위계 서열 중 첫 번째 범주의 첫 번째 단계에 속하는 정신들
** 움직임의 정신_Dynamis, 초감각적 위계 서열 중 두 번째 범주의 두 번째 단계에 속하는 정신들
*** Lugano_스위스 남부 테신 지방의 도시

그렇지 않은지 알아 보기 위해서 전보를
치거나, 편지를 쓰거나 어떤 방식으로든
문의해 보아야 하듯이, 다음과 같은 질문에도
역시 사실 정황을 철저히 파고들어야
합니다. "지혜의 정신[*]들이나 트로네[**]
들이 오늘날 인류 시대에 예를 들어 인간의
에테르체 속에서 어떤 과제를 실천하고
있는가?" 그런데 이와 같은 질문 역시
지극히 복합적이고 아주 까다로운 것 중에
하나입니다. 그리고 이런 질문이 생겨나는
영역은 특정한 의미에서 그저 약간 다가서서
엿볼 수 있을 뿐입니다. 이 영역에서는 사실이
정말로 그러하기를, 인간이 단숨에 하늘로

---

[*] 지혜의 정신_ Kyriotetes/퀴리오테테스, 초감각적
  위계 서열 중 두 번째 범주의 첫 번째 단계에 속하
  는 정신들
[**] 의지의 정신_Throne, 초감각적 위계 서열 중 첫 번
  째 범주의 세 번째 단계에 속하는 정신들

펄쩍 뛰어오를 수 없게 되어있고, 진정한 인식을 추구한다면 자만하거나 교만스러워질 수 없게 되어 있습니다.

**09** 그래서 우리와 직접적인 관계가 있는, 특정한 의미에서 우리 바로 위에 있는 존재들을 보기로 합시다. 그 존재들이라면 우리 능력으로 분명하게 주시할 수 있습니다. 뿐만 아니라 우리가 인간 발달 안으로 밀어넣어져 있는 그 상태와 관련해 잠을 자지 않기 위해서라도 바로 이 존재들을 분명하게 주시해야 합니다. 그래서 "뒤나미스나 트로네들이 우리의 에테르체 속에서 무엇을 하는가?"라는 질문처럼 _실은 이 질문도 구체적이기는 한데_ 그렇게 심히 막연하거나 애매하지 않은 질문 하나를 여러분께 하고 싶습니다. 그 질문은 다음과 같습니다. "인간에

가장 직접적으로 활동하는 천사Angeloi * 존재들은
현 시대 인간의 아스트랄체 속에서 무엇을
하는가?"

10      우리 내면의 본질을 관조해 보면
아스트랄체가 인간의 자아에 가장 가까이
놓여 있습니다. 그래서 이 질문에 대한
답이 우리와 상당히 많은 관계가 있으리라
기대해도 됩니다. 천사는 초감각적 위계
서열 중에서 인간 서열의 바로 위에 있는
정신 존재입니다. 이제 다음과 같이 겸손한
질문을 해봅시다. "20세기를 거치고 있는
인류의 현재 연령대에서, 그러니까 15세기에
시작되어서 4천 년대 초반까지 이어질 인류
발달기에서 천사들은 인간의 아스트랄체

---

\* 천사_ Angeloi, 여명의 아들 혹은 여명의 정신, 초
 감각적 위계 서열 중 세 번째 범주의 세 번째 단계에
 속하며 인간 바로 위의 서열이다.

속에서 과연 무엇을 하고 있는가?" 이 질문의
답이 우리를 위해 얼마나 중요한지 나중에
알게 될 것입니다.

11    그런데 이 질문에 어떻게 대답할
수 있는지, 그에 대해 과연 무엇을 말할
수 있습니까? 바로 다음과 같이만 말할 수
있습니다. "실로 진지하게 몸과 마음을 다해
정신 연구를 하면, 그것은 결코 표상 놀이나
단어 놀이에 그치지 않는다. 진지하게 정신을
연구하면 정신세계가 훤히 보이는 영역으로
실제로 들어갈 수 있어서 우리와 직접적인
관계가 있는 것들을 관조할 수 있다." 그런데
이런 종류의 질문에는 의식영혼의 시대에만
유의미한 대답이 나올 수 있습니다.

12    "이런 질문은 다른 시대에도 나올
수 있는 것이 아닐까? 그리고 이 질문에

대한 답을 찾아야 했다면, 역시 그 대답이
있지 않았을까?"라고 생각할 수 있습니다.
그런데 환원적 형안의 시대나 그리스-라틴
문화 시대에는 이 질문에 대한 답을 찾을
수 없었습니다. 환원적 형안으로 인해 인간
영혼 속에 생겨난 형상들이 앞을 흐릿하게
가렸던 바, 그 시대의 사람들은 인간의
아스트랄체 속에서 천사들이 하는 일을
분명하게 관찰할 수 없었기 때문입니다.
환원적 형안이 이미 형상들을 주었다는 바로
그 이유로 해서 당시에는 사람들이 아무
것도 볼 수 없었습니다. 그리고 그리스-
라틴 시대에는 사고가 오늘날처럼 그리
강하지 않았습니다. 오늘날의 사고는 실제로
강해졌습니다. 특히 자연 과학의 시대를 통해
사고가 더욱 강해졌고, 그래서 의식영혼의
시대에는 방금 던진 질문에 역시 의식적으로

파고들 수 있습니다. 우리는 이론만 들먹이는
데에 그치지 않고, 인생을 위해 결정적인
의미가 있는 것을 말해 줄 수 있어야 합니다.
정신과학에서 나오는, 인생을 위한 열매는
이런 길을 통해서만 드러나야 합니다.

13      천사들은 우리의 아스트랄체 속에서
무슨 일을 합니까? 형안적 관찰에 있어
일정 경지에 이르러서 우리의 아스트랄체
속에서 무엇이 일어나는지 볼 수 있는
경우에만, 천사들이 거기에서 하는 일을
확인할 수 있습니다. 그러니까 예시된
질문에 대답하기 위해서는 적어도 형상적
상상의 인식에 해당하는 단계까지 올라가야
합니다. 그러면 천사 서열의 존재들이_특정한
의미에서 개별적 인간을 위한 과제를 지닌 천사 각자가,
역시 주로 그들 서로 간에 협력함으로써_ 인간의

아스트랄체 속에서 형상을 만들어내고 있는
것이 보입니다. 형태의 정신들<sub>*</sub>의 지도
아래 형상을 만들어냅니다. 형상적 상상의
인식으로까지 올라가지 않은 상태에서는
우리의 아스트랄체 속에서 끊임없이 형상이
만들어지고 있다는 사실을 알 수 없습니다.
그 형상들이 생성되고 사라집니다. 그
형상들이 만들어지지 않는다면, 형태의
정신들이 의도하는 인류 발달은 미래에
존재하지 않을 것입니다. 형태의 정신들이
지구 발달의 끝이 되는 시점까지 우리에게서
더 이루고자 하는 것, 그것을 천사들이 먼저
형상으로 발달시켜야 합니다. 그 형상들이
나중의 변형된 인류, 즉 실재가 됩니다.
형태의 정신들은 오늘날 천사들을 통해

~

* 형태의 정신_14쪽 각주 참조

우리의 아스트랄체 속에서 그 형상들을
만들어내고 있습니다. 천사들이 인간의
아스트랄체 속에서 형상들을 만들어내고
있습니다. 그리고 형안으로 발달된 사고가 그
형상에 이를 수 있습니다. 천사들이 우리의
아스트랄체 속에서 형태화하는 그 형상들을
추적할 수 있습니다. 그렇게 추적해 보면,
그 형상들은 완전히 특정한 자극에 따라,
완전히 특정한 원리에 따라 형태화되는 것이
보입니다. 형상들이 이루어지되, 그것이
생성되는 양식 속에 미래의 인류 발달을 위한
특정한 힘이 들어있습니다. 그 일을 하는
천사들을 관찰해 보면 _참으로 기이하게 들리겠지만
달리 표현할 방법이 없습니다_ "천사들은 지상의
인간 생활 중에서도 미래의 사회 형태를 위해
완전히 특정한 의도를 가지고 그 일을 하고
있다."라고만 말할 수 있겠습니다. 천사들은

미래 인류의 공생에서 완전히 특정한
사회 상황을 구현할 형상들을 현재 인간의
아스트랄체 속에 만들어내고 싶어합니다.

14     천사가 인간 내면에서 미래의
이상을 발생시키려 한다는 것을 인정하기가
사람들에게는 소름 끼치는 일일 수 있습니다.
그래도 그것은 사실입니다. 게다가 천사들이
그렇게 형상을 만들어내는 데에는 완전히
특정한 원칙이 작용합니다. 그 원칙 중 한
가지는 이렇습니다. "미래에는 이웃에 단
한 명이라도 불행한 사람이 있다면 아무도
행복을 누리면서 편안하게 지낼 수 없다.
사회 상태 중 육체의 삶과 관련해 절대적인
형제애, 절대적인 인류 합일, 올바르게 이해된
형제애라는 특정 자극이 지배한다." 이것이
우리가 보는 첫 번째 관점입니다. 천사들이

이 관점에 따라 인간의 아스트랄체 속에서
형상들을 만들어 내고 있는 것을 볼 수
있습니다.

15    그런데 두 번째 자극이 아직 있습니다.
천사들은 이 두 번째 자극의 관점에 따라서도
역시 형상을 만들어냅니다. 그것은 다음과
같습니다. "천사들은 외적인 사회 생활과
관련해서만 특정 의도를 따르지 않는다.
그들은 인간 영혼과 관련해서도, 인간의 영혼
생활과 관련해서도 역시 특정 의도를 따른다.
천사들은 인간의 영혼 생활과 관련해 우리의
아스트랄체 속에 형상을 새겨넣으면서
미래에는 누구나 타인에게서 그 내면에
숨겨진 신성을 알아보게 된다는 목표를
따른다."

16    네, 이제 주의하십시오. 천사들의

일에 내재하는 그 의도에 따라 우리의 생각도 바뀌어야 합니다. 인간을 특정 의미에서 더 발달된 고등 동물처럼 오로지 육체적 자질에 따라서만 고찰하지 않도록 우리 생각을 바꾸어야 합니다. 이론적으로 뿐 아니라 실질적으로도 인간을 그렇게 고찰해서는 안 됩니다. 누구든 타인을 다음과 같이 완벽하게 발달된 느낌으로 대해야 합니다. "신적인 세계 근거로부터 현시되는 무엇인가가, 살과 피를 통해서 현시되는 무엇인가가 인간 내면에서 드러난다." 가능한 한 진지하게, 가능한 한 강렬하게, 가능한 한 모든 이성을 다해서 인간을 정신세계로부터 현시되는 형상으로 파악하기. 바로 그것을 천사들이 우리의 아스트랄체 속에 형상들로 새겨넣습니다.

N     그것이 일단 구현되기만 한다면
완전히 특별한 결과가 나올 것입니다.
바로 절대적으로 자유로운 종교성입니다.
완전히 자유로운 종교성이 미래의 인류 안에
발달될 것입니다. 모든 인간은 신성의 대등
형상이라는 사실을 이론이 아니라 직접적인
생활 실천에서 진정으로 인정하는 데에 그
토대를 두는 자유로운 종교성. 그러면 종교적
의무는 전혀 존재하지 않게 될 것입니다.
종교적 의무는 존재할 필요가 없게 됩니다.
왜냐하면 인간과 인간의 만남 자체가 그대로
종교 의식이 되고, 성사聖事가 될 것이기
때문입니다. 물체 차원의 외적인 기관인 특정
교회나 절을 통해 종교 생활을 할 필요도
없어지겠지요. 제대로 자체 분석을 한다면
교회는 인간의 삶 전체를 초감각적인 것의
표현으로 만듦으로써 물체의 차원에서

불필요한 기관이 되겠다는 단 한 가지 목표만
지향할 수 있기 때문입니다.

**18**      종교 생활의 완전한 자유를 인류에
쏟아 붓기. 천사들이 하는 일의 자극은 적어도
바로 그것을 근거로 삼습니다. 그리고 이제 세
번째 근거가 있습니다. "사고를 통해 정신에
이를 가능성을 인류에 부여하기, 사고를
통해 인류가 심연을 넘어서 정신적인 것의
체험에 도달하도록 만들기." 정신을 위한
정신과학, 영혼을 위한 종교의 자유, 신체를
위한 형제애, 바로 이 세 가지가 천사들의
일을 통해 인간의 아스트랄체 속에서 천체
음악처럼 울려 퍼집니다. 의식을 특정한 다른
층으로 고양시키는 것이 필요할 뿐이라고
말하고 싶습니다. 그러면 인간의 아스트랄체
속에 있는, 천사들의 그 경이로운 일터로

들어선 듯이 느낄 수 있습니다.

19      우리는 오늘날 의식영혼의 시대에
살고 있습니다. 이 의식영혼의 시대에는
천사들이 인간의 아스트랄체 속에서 방금
이야기한 것들을 행합니다. 인류는 이러한
것들을 의식적으로 파악할 수 있는 상태에
차츰차츰 이르러야 합니다. 그렇게 하는
것이 인간 발달에 속합니다. 그렇다면 지금
여기서 상술한 바와 같은 것을 말할 수 있는
상태에는 과연 어떻게 이를 수 있겠습니까?
도대체 어디에서 천사들의 일을 발견합니까?
오늘날에는 잠자는 인간에게서 그것을 발견할
수 있습니다. 잠들어서 일어날 때까지 침대에
누워있는 인간에게서 그 일을 발견합니다.
그런데 깨어 있으면서도 잠자는 상태에
있는 사람에게서도 역시 그것을 발견합니다.

어떻게 인간이 깨어 있으면서도 아주
중요한 문제에 있어서는 잠자는 상태에서
인생을 흘려 보내는지, 그에 대해서는 자주
이야기했습니다. 그런데 별로 즐겁게 들리지
않겠지만 저는 정말로 그렇다고 장담할 수
있는 사실 한 가지를 말씀드리겠습니다.
의식을 가지고 삶을 둘러보면 알아볼 수
있는데, 오늘날 정말로 아주 많은 사람이
잠자면서 삶을 흘려 보낸다는 것입니다.
대부분의 사람들은 세상사에 관심도 없고
관여도 하지 않습니다. 세상사에 자신을
연결시켜 보려는 생각도 하지 않고 그저
그렇게 일어나도록 버려둡니다. 시가지에서
일어나는 일이 겉보기에는 깨어 있지만
실은 잠자고 있는 사람을 스쳐 지나가듯이
거대한 세계 사건으로서 일어나는 일들이
사람들을 그저 스쳐 지나가고 맙니다. 그런데

인간이 깨어 있는 상태에서 잠을 자면서
아주 특별한 일이 스쳐 지나가도록 버려두면,
그러면 천사들이 인간의 아스트랄체
속에서_사람이 알고 싶어하는지 모르고 싶어하는지,
그것은 완전히 별개의 문제입니다_ 하는 그 중요한
일이, 지금까지 설명한 그 일이 어떤 식으로
진행되는지 드러납니다.

20    이것은 사람들 대부분에게 실로
수수께끼나 모순처럼 보일 수 밖에 없는
방식으로 일어납니다. 그래서 정신세계와
연결해 이러저러한 주제를 다루려 할 때 많은
것이 전혀 합당치 않다고 여깁니다. 그런데
진실에서 보아 해당 사항이 있는 사람은
다른 누구도 아니고, 이 생에서 주변에서
일어나는 모든 것을 잠자면서 흘려보내는
잠꾸러기입니다. 바로 그 잠꾸러기의

아스트랄체 속에서 천사 공동체에서 나온
천사가 인류의 미래를 위해 일을 합니다.
잠자고 있다 해도 아스트랄체가 이용되고,
그 잠꾸러기의 아스트랄체에서 천사가
하는 일을 관찰할 수 있습니다. 한데 관건은
그것이 인간 의식으로 뚫고 들어와야 한다는
것입니다. 오로지 이런 방식으로만 발견될 수
있는 것을 알아볼 수 있을 정도로 의식영혼이
고양되어야 한다는 말입니다.

21 　　　일단 이 전제 조건을 세웠다면,
다음의 사실을 유의시킨다 해도 여러분이
이해하시리라 생각합니다. 바로 이
의식영혼의 시대는 아주 특정한 사건을 향해
떠밀려 가고 있는 중이고, 우리는 의식영혼과
관여하기 때문에 그 사건이 인류 발달 안에서
어떻게 완결될 것인지, 이 역시 인간에 달려

있습니다. 그 사건은 100년 늦게 올 수도,
100년 일찍 올 수도 있습니다. 어쨌든 간에
실제로 인간 발달의 범주 안으로 들어오게끔
되어 있습니다. 그 사건의 성격을 다음과 같이
말할 수 있습니다. "인간은 어떻게 천사들이
인류 미래를 준비하기 위해 일하는지, 그것을
순수하게 의식영혼을 통해서, 의식적인
사고를 통해서 관조할 수 있는 상태에
이르러야 한다." 정신과학이 이 영역에서
가르치는 것이 인류를 위한 실질적인 인생
지혜가 되어야 합니다. 상술한 것을 천사들이
원한다고 인정하면서 그와 동시에 자신의
지혜 자산이라 확신할 수 있는 그런 종류의
실질적인 지혜가 되어야 합니다.

22      인류는 자유를 향한 움직임에 있어서
상당히 많이 진보했습니다. 그래서 잠자면서

해당 사건을 흘려보낼지, 완전한 의식을
가지고 그 사건을 향해 나아갈지, 그 선택은
이미 인류 스스로에 달려 있습니다. 완전히
의식적으로 그 사건을 향해 나아간다 함은
과연 무엇을 의미합니까? 그 의미는 다음과
같습니다. "오늘날에는 정신과학을 연구할
수 있다. 그것이 존재한다. 정신과학적
연구 외에 다른 것은 할 필요가 없다."
그에 더해 여러가지 명상을 한다면, 예를
들어 저의 저서인 『고차 세계의 인식으로
가는 길』*에 제시한 실질적인 지도를
고려한다면 물론 금상첨화입니다. 하지만
정신과학을 연구하고 올바르게 의식하면서
이해하면 이미 필수적인 것은 일어납니다.
오늘날에는 형안적 능력을 습득하지 않고도

~

* 2013, 밝은 누리

정신과학을 공부할 수 있습니다. 그 길에
스스로 편견이라는 장애물을 놓지 않는다면
누구든지 그렇게 할 수 있습니다. 사람들이
더욱더 정신과학을 연구하고 정신과학에서
나오는 관념과 개념을 습득하면, 그러면
의식 안에서 깨어나 특정 사건들을 잠자면서
흘려보내지 않고 의식하면서 체험합니다.

23 　　우리는 그 사건들의 특성을 더
정확하게 상술해야 합니다. 왜냐하면
천사들이 하는 일을 안다는 것은 근본적으로
보아 단지 준비에 불과하기 때문입니다.
중점은 다름 아니라, 특정 시점이 되면
사건은 삼중적으로 들어서리라는 것입니다.
빨라질 수도 있고 늦어질 수도 있지만 그
시점은 이미 이야기한 대로 인류가 어떤
태도를 취하는지에 달려 있습니다. 최악의

경우에는 그 시점이 전혀 들어서지 않을
수도 있습니다. 그런데 그렇게 들어서야 할
것은 천사 세계를 통해 인류에게 삼중적으로
드러납니다. 그 첫 번째로는, 어떻게 사람이
인간으로서 가장 친밀한 관심을 가지고 인간
천성의 가장 깊은 면을 진정으로 파악할 수
있게 되는지, 그것이 보입니다. 네, 인류가
잠자면서 흘려 보내서는 안 될 시점이, 인류가
정신세계로부터 천사들을 통해 고무하는
자극을 얻게 되는 시점이 올 것입니다.
오늘날 우리가 타인을 대할 때 지니는 관심의
정도와는 비교할 수 없이 훨씬 더 깊은 관심을
미래에는 모든 사람이 모든 타인을 위해 지닐
수 밖에 없는 방향으로 바뀔 것입니다. 이웃에
대한 그 고조된 관심은, 오늘날 사람들이
내면에서 안일하게 발달시키는 바와 같이
그렇게 주관적으로 발달되지 않을 것입니다.

그 관심은, 타인이라는 특정 비밀이 실제로
영적인 차원에서 사람에게 부어 넣어지면서
급작스럽게 발달될 것입니다. 이는 이론적인
생각이 아니라 아주, 아주 구체적인 어떤
것을 의미합니다. 사람들이 각 개인에게서
흥미로울 수 있는 어떤 것을 체험합니다.

24    이것이 바로 첫 번째입니다. 미래의
사회 생활은 이것을 완전히 특별하게 쟁취할
것입니다. 그리고 두 번째는 이렇습니다.
그리스도-자극은 인류를 위해 다른 여러가지
외에도 완벽한 종교적 자유를 전제한다고,
완벽한 종교적 자유를 가능하게 만드는
기독교만이 진정한 기독교라고 천사들이
정신세계로부터 사람들에게 반박의 여지없이
보여 줍니다. 마지막으로 세 번째는 세상의
정신적 성격을 반박의 여지없이 인정하게

된다는 것입니다.

## 25

이 사건이 들어서기는 하는데, 이미 이야기한 대로 인류의 의식영혼이 그에 대해 특정한 관계를 얻도록 되어 있습니다. 천사들이 인간의 아스트랄체 속에서 형상을 만들면서 그 방향으로 일하고 있기 때문에 이 사건은 일단 인류 발달 안에 예정되어 있습니다. 이제 여러분께 한 가지를 더 이야기해야겠습니다. 그렇게 예정되어 있는 사건이 이미 인간의 의지 속에 들어와 있다는 것입니다. 사람들이 적잖은 것을 소홀히 할 수 있습니다. 사실 오늘날 아직도 많은 사람이 암시된 시점을 깨어서 체험할 수 있게 하는 대다수의 요소를 간과합니다.

## 26

그런데 여러분도 아시다시피, 인간을 정도正道에서 이탈시키는 데에 관심을

두는 다른 존재들이 세계 발달에 관여하고
있습니다. 아리만적 존재와 루시퍼적
존재들이 바로 그들입니다. 앞서 이야기한
것들은 인간의 신적인 발달에 속합니다.
인간이 천성에 순응하기만 하면, 천사가
아스트랄체 속에서 발달시키는 것을 실제로
통찰할 수 있습니다. 그런데 루시퍼적 발달은
천사 서열의 일을 인간이 투시할 수 없도록
하는 방향으로 갑니다. 루시퍼적 존재들은
인간의 자유로운 의지를 억제해서 천사들이
하는 일을 투시할 수 없게 만듭니다. 그들은
인간을 선한 존재로 만들면서 동시에
인간의 자유로운 의지 행위를 장막으로
덮어 버리려 애를 씁니다. 지금 언급하는
이 관점에서 보아 루시퍼는 실제로 인간이
선해지기를 바랍니다. 인간을 정신적이기는
하되 자유로운 의지가 없는 자동적인 존재로

만들려고 합니다. 달리 말해 인간이 선한
원리에 따라 형안을 얻기는 하지만 특정
의미에서 자동적인 존재가 되는 것이지요.
루시퍼적 존재들은 인간에게서 자유로운
의지를, 악에 대한 가능성을 제거하려고
합니다. 실제로 정신을 근거로 해서
행동하기는 해도 마치 정신의 모형이라도 된
듯이 자유로운 의지가 없는 자동적인 인간,
바로 이것을 루시퍼적 존재들은 추구합니다.

27    이것은 발달에 있어서 아주 특정한
비밀과 연관되어 있습니다. 여러분도
루시퍼적 존재들에 대해 잘 알고 있습니다.
그들은 다른 발달 단계에 머물러 있으면서
정상적인 발달 과정에 낯선 요소를 들여오는
존재들입니다. 루시퍼적 존재들은 인간이
자유로운 의지에 이르지 못하도록 하는

데에 깊은 관심이 있습니다. 왜냐하면 그들
자신도 자유로운 의지에 도달하지 못했기
때문입니다. 자유로운 의지는 오로지 지구
상에서만 이룰 수 있습니다. 하지만 그들은
지구와 관계를 맺고 싶어하지 않고 옛 토성,
옛 태양, 옛 달의 발달 단계를 원합니다.
그 상태에만 머물러 있기를 바라면서,
지구 발달에는 전혀 상관하지 않으려
합니다. 심지어 특정한 의미에서 인간의
자유로운 의지를 증오합니다. 그들은 고도로
정신적이지만 자동적으로 행위합니다. _이
사실은 극히 의미심장합니다 _ 그리고 그 존재들은
그들의 높이로, 그들의 정신적 고지로 인간을
고양시키고자 합니다. 인간을 자동적으로
만들고 싶어합니다. 정신적이기는 하지만
자동적인 상태. 그 존재들은 인간의
의식영혼이 완벽하게 기능하기 전에 너무

일찍이 인간을 정신적이지만 자동적으로
행위하는 존재로 만듭니다. 그렇게 함으로써
방금 성격화한 그 현시를, 인류에 도래해야 할
그 현시를 인간이 잠자면서 흘려보내고 마는
위험한 상황을 야기합니다.

## 28 　　아리만적 존재 역시 그 현시에
저항하면서 일합니다. 아리만적 존재들은
인간을 특별히 정신적으로 만들려 하지는
않습니다. 오히려 정신적인 것에 대한
의식을 인간 내면에서 고사시키려 합니다.
인간은 완벽하게 발달된 동물이라는 사상을
가르치면서 그렇게 합니다. 진실에서 보자면
아리만이 바로 물질주의적 다원주의의
위대한 스승입니다. 뿐만 아니라 지구 발달
과정에서 인간의 외적, 감각적 삶 외에는
아무 것도 인정하지 않는 기술적, 실질적

활동 모두를 위한 위대한 스승이기도
합니다. 아리만적 존재들은 널리 퍼진
기술만 중시하는 풍조를 이용해 아주
교활한 방식으로 인간이 동물과 진배없이
식욕 등 여러가지 욕구를 충족시키기
위해 허덕이도록 만듭니다. 인간은 신성의
모사라는 의식을 인간 내면에서 흐려지게
하고 결국 말살시키기, 바로 그것을 현시대의
아리만적 정신들은 의식영혼을 위해 온갖
교활한 과학적 수단을 이용해서 추구합니다.

29      옛 시대에는 이런 식의 이론을 통한
진실의 호도糊塗가 아리만적 정신에게
무용지물이었을 것입니다. 왜냐하면 그리스-
라틴 시대에만 해도_인간이 환원적 형안, 형상을
지녔던 그 이전의 시대에는 더욱 더 _ 인간이 어떤
식으로 사고하는지, 그것은 아무 의미가

없었기 때문입니다. 당시에는 인간이 형상을
지니고 있었습니다. 그 형상을 통해서
정신세계를 들여다 볼 수 있었습니다.
아리만이 사람들에게 동물에 대한 인간의
관계를 가르칠 수 있었다고 합시다. 그럴
수 있었다 해도 사람들의 인생관에는 아무
영향도 미치지 못했을 것입니다. 아틀란티스
시대 이후 다섯 번째 문화 시대인 우리
시대에 이르러서야 사고가 강력해졌습니다.
15세기 이후부터 사고가 그 무기력함에
있어서 강력해졌다고도 말할 수 있겠습니다.
사고가 15세기 이래로 세상의 정신적인
분야로 의식영혼을 들여가기에 적합하게
된 것이지요. 그런데 그로써 또한 사고는
의식영혼을 정신세계로 들어서지 못하도록
방해합니다. 이론이 과학을 통해 의식적인
방식으로 인간의 신성과 신성에 대한

경험을 훔쳐내는 시대, 우리는 바로 그것을
오늘날에야 비로소 체험하고 있습니다. 그런
체험은 의식영혼의 시대에만 가능합니다.
그래서 아리만적 정신들은 인간의 신적
원천을 흐리게 하는 가르침을 인간에게
주입하려고 애를 쓰는 것입니다.

30    인간의 정상적, 신적 발달을
거스르는 사조를 깊이 숙고해 보면, 제가
언급한 바로 그것을, 인류 발달에 현시로서
들어서야 할 그것을 잠자면서 흘려보내지
않기 위해 인생을 어떻게 살아야 할지
짐작할 수 있습니다. 그렇지 않으면
대단히 위험해집니다. 미래의 지구 발달을
결정적으로 형상화해야 할 의미심장한 사건
대신에, 오히려 그 발달에 지대한 위험을
초래할 수 있는 것이 들어서게 됩니다. 반드시

그 위험을 경계해야 합니다.

31   특정한 정신 존재들은 인간을
통해서 발달할 수 있고, 그 과정에서 인간도
함께 발달합니다. 인간의 아스트랄체
속에서 형상을 발달시키는 천사들, 그들은
당연히 그 형상들을 놀이 삼아 만들어 내지
않습니다. 그 형상들로 무엇인가를 이루어
내기 위해서 그렇게 합니다. 그런데 인류가
의식영혼의 단계에 이른 뒤에도 그 모든
정황을 의식적으로 무시한다면, 그 일에서
이루어져야 할 모든 것, 특히 지구 상의 인류
안에서 이루어져야 할 모든 것이 놀이가
되고 말 것입니다. 그 모두가 장난질이 되고
맙니다! 인간 아스트랄체의 발달 안에서
천사들이 놀이만 하는 격이 되고 맙니다.
그것은 인류 안에서 구현되어야만, 오로지

그렇게 되어야만 놀이가 아니라 진지한 일이 됩니다. 여러분은 이 사실에서, 천사들의 일은 어떤 상황에서도 진지하게 머물러야 한다고 짐작할 수 있을 것입니다. 사람들이 단지 잠꾸러기라는 이유만으로 천사들의 작업이 장난질이 된다면, 현존의 무대 배면에서 벌어지는 일이 과연 무엇이 되고 말지 한 번 상상해 보십시오!

32 그럼에도 불구하고 그런 상황이 초래된다면, 지상의 인류가 미래의 중요한 정신적 현시를, 정신적 사건을 잠자면서 흘려보내겠다는 태도를 굳건히 고수한다면, 사람들이 예를 들어서 중간 부분_종교의 자유와 연관된 부분 _ 을 잠자면서 흘려보낸다면, 자주 이야기했지만, 현재 에테르의 차원에서 반복되고 있는 골고다의 신비를,

에테르적 그리스도의 재림을 잠자면서
흘려보낸다면, 그 외에 다른 두 가지도
잠자면서 흘려보낸다면, 그러면 인간의
아스트랄체 속에 있는 형상들로 성취해야 할
것들을 위해 천사들은 다른 방도를 강구해야
합니다. 인간이 깨어나 동참하지 않음으로
해서 인간의 아스트랄체 속에서 실현되어야
할 것이 실현될 수 없다면, 그러면 천사들은
잠자는 인간의 신체를 통해 자신들의
의도를 이루고자 합니다. 사람들이 깨어
있으면서도 잠자면서 흘려보내기 때문에
이룰 수 없는 것, 그것을 침대에 누워서
잠자고 있는 인간의 육체와 에테르체를
도움 삼아 성취합니다. 그것을 이루기 위한
힘을 육체와 에테르체에서 찾을 것입니다.
깨어 있는 영혼이 육체와 에테르체 속에
들어있는 경우에는 이룰 수 없는 것, 깨어

있는 인간으로는 이룰 수 없는 것, 그것이
잠을 자고 있는 에테르체와 육체를 통해
이루어집니다. 달리 말해 깨어나야 할
인간이 잠을 자는 동안에, 인간의 자아와
아스트랄체가 신체 바깥으로 나가 있는
동안에 그것이 이루어집니다.

33      이는 의식영혼 시대의 커다란
위험입니다. 사람들이 정신적인 삶을
추구하지 않으려고 하면 세 번째 천 년대가
시작되기도 전에 일어날 수 있는 사건입니다.
그 세 번째 천 년대의 시작은 현시대에서
그리 먼 미래가 아닙니다. 세 번째 천 년대는
서기 2000년부터 시작합니다. 천사들은
자신들의 일을 통해 이루어야 할 것을
깨어있는 인간이 아니라 잠자고 있는 인간의
신체로 이룰 수도 있습니다. 천사들은 의도를

이루기 위해 자신들이 한 모든 일을 인간의
아스트랄체에서 끄집어내서 에테르체로
잠수시킬 수 있습니다. 그렇게 되면 인간은
그 일에 더이상 동참할 수 없게 됩니다!
인간이 그 일에 동참하지 않으려 하면,
그것은 에테르체 속에서라도 실현되어질
것입니다. 인간이 깨어있는 상태에서 그 일에
동참한다면, 일이 그런 식으로 되지는 않을
것입니다.

34      지금까지는 상황에 관해 일반적인
관념을 발달시켰습니다. 그런데 인간이
동참하지 않아서 천사가 잠든 상태에 있는
인간 에테르체와 육체 속에서 그 일을
처리해야 할 수 밖에 없는 상태가 되면,
그렇다면 과연 무엇이 등장하겠습니까?
그렇게 되면 어쩔 수 없이 삼중적인

상황이 인류 발달에 들어섭니다. 첫 번째는
다음과 같습니다. 인간이 잠들어 자아와
아스트랄체가 몸 밖으로 나가 있는 동안
잠자고 있는 인간의 육체와 에테르체 속에서
어떤 것이 생성됩니다. 그리고 인간은
그렇게 생성된 것을 아침에 일어나서 그저
그렇게 자기 앞에 놓인 것으로 발견합니다.
자유롭지 않은 상태에서 자기 앞에 주어진
것으로서 항상 어떤 것을 발견합니다. 그런데
이렇게 주어진 것은 자유로운 의식이 아니라
본능이 됩니다. 바로 그래서 위험합니다.
그 중에서도 특히 인간의 자연성 속으로
들어서야 하는 특정하게 본능적인 인식이,
달리 말해 수태와 임신, 출생의 신비,
전반적인 성생활과 관계하는 특정하게
본능적인 인식이 파괴적으로 될 위험이
있습니다. 여기서 이야기하는 위험은 특정

천사들, 그 과정에서 스스로도 역시 일정한 변화를 거치는 천사들을 통해서 들어설 수 있습니다. 천사들의 그 변화는 입문 과학 중에서도 고차적인 비밀에 속하기 때문에, 현재로서는 아직 공개될 수 없습니다. 그런데 다음과 같은 사실은 밝혀도 됩니다. "인류 발달에서 일어나는 것이 맑게 깨어있는 의식 안에서 유용한 방식으로 일어나지 않는다면, 성생활과 성 문제에서 나오는 특정 본능이 해롭고 파괴적인 방식으로 등장할 것이다. 그 본능이 단순한 미혹의 수준에 그치지 않고 사회 생활로까지 전이되어 형상화될 것이다. 다른 무엇보다도 성생활의 결과로서 인간의 혈액 속으로 들어오는 것, 그것으로 인해 인류는 지구 상에서 어떻든 간에 아무 형제애도 발달시키지 못하고, 오히려 형제애를 점점 더 거역하게 될 것이다. 그런데 그런 성향이 본능으로 바뀔 것이다."

35    이제 특정한 의미에서 결정적인
지점에 이릅니다. 오른쪽으로 갈 수 있습니다.
그러면 깨어나야만 합니다. 아니면 왼쪽으로
갈 수도 있습니다. 그러면 계속 잠자면
됩니다. 그런데 그렇게 계속해서 잠을 자면
본능이 등장합니다. 끔찍하기 이를 데 없는
본능이. 그 본능이 등장하면, 그러면 자연
과학자들은 과연 뭐라고 말하겠습니까?
"그런 것은 자연적 불가피성이다. 그런 것은
인간 발달에 속하기 때문에 생겨날 수 밖에
없다."라고 하겠지요.

36    자연 과학을 통해서는 그런 문제를
절대 투시할 수 없습니다. 왜냐하면 인간이
천사가 된다면 그 역시 자연 과학을 통해
해명될 수 있을 것이기 때문입니다. 사람이

마귀가 된다 해도 역시 해명될 수 있을

것입니다. 그 양자 모두에 대해 자연 과학은

똑같은 대답을 할 수 밖에 없습니다.

"이전에 있었던 것에서 나온 결과다."

인과적 자연 해명이라는 위대한 지혜! 자연

과학은, 지금까지 제가 이야기한 사건을

눈곱만큼도 알아채지 못합니다. 왜냐하면

인류가 본능으로 인해 거의 성적인 악귀가

된다 하더라도 자연 과학은 그런 것을

당연히 자연적인 불가피성으로 여길 터이기

때문입니다. 자연 과학적으로는 이 문제를

결코 해명할 수 없습니다. 왜냐하면 무슨 일이

일어나든 자연 과학은 모든 것을

(인과론적으로)<sub>*</sub> 해명하기 때문입니다. 여기서

다루고 있는 바와 같은 문제는 오로지

~

* 이해를 위해 역자가 추가함

정신적인 인식, 초감각적 인식으로만 투시할
수 있습니다.

37 이것이 첫 번째입니다. 이제 두 번째가
있습니다. 천사들을 위해서도 역시 변화와
발달을 의미하는 그 일에서 인류를 위한 두
번째가 나옵니다. 그것은 바로 인류가 특정
의약품에 대한 본능적인 인식을 얻는다는
것입니다. 그런데 그 인식은 파괴적으로
유해합니다. 의학과 연결된 모든 것이
엄청나게, 물질주의적인 의미에서 엄청나게
장려됩니다. 특정 질료의 치료 효과와
특정 처리 과정에 대한 본능적인 인식이
생겨나서 엄청난 손상을 초래할 것입니다.
그런데 사람들은 그 손상을 유용한 것으로
여깁니다. 병을 건강이라 부를 것입니다.
특정 처리 과정에 이를 것이고, 또한 그것을

마음에 들어합니다. 특정 경향에 따라
인간을 건강하지 않은 상태로 이끌어가는
것이 사람들의 마음에 들게 됩니다. 특정
처리 과정의 치료 효과에 대한 인식, 바로 그
인식이 고도의 수준에 이릅니다. 그런데 아주
위험한 항로로 들어섭니다. 다른 무엇보다도
특정 질료와 특정 처리 과정이 질병을 위해
야기하는 것을 특정한 본능을 통해 경험하게
됩니다. 그리고 질병을 유발시킬 것인지, 말
것인지를 완전히 이기주의적인 의도에 따라
준비하게 됩니다.

38 세 번째 결과는 다음과 같습니다.
인류에게 아주 특정한 힘이 있다는 것을
알아냅니다. 그 힘을 이용해서, 저는 극미의
촉발이라 표현하고 싶은데요, 그러니까
특정한 진동을 조화시켜서 엄청난 기계력을

세상에 방출시킬 수 있게 됩니다. 바로
이런 방식으로 인류는 기계 역학적 존재의
특정하게 정신적인 조종을 본능으로
인식하고 배우게 됩니다. 그리고 그런 기술
전반은 황폐하기 짝이 없는 항로로 들어설
것입니다. 그런데 그 황폐한 항로가 인간의
마음에 들고, 인간의 이기주의에 더할 나위
없이 훌륭하게 이용될 것입니다.

39  이것은 현존의 발달을 구체적으로
파악한 한 부분입니다. 근본적으로 보아 삶을
비정신적으로 파악하면 이 상황을 절대로
알아보지 못한다는 것을 투시하는 사람만 그
진가를 올바르게 인정할 수 있는 인생관의
한 부분입니다. 비정신적인 인생관은 인류를
손상시키는 의학, 성적 본능으로 인한 끔찍한
미혹, 정신력을 통한 자연력의 이용에 있어서

순수한 세계 기계주의 안에서 생성되는 그
소름끼치는 장치, 이 모든 것들이 도래한다
해도 절대로 알아보지 못합니다. 비정신적인
세계관은 이 모든 것을 투시할 수 없습니다.
어떤 사람이 잠든 동안 도둑질을 당했다고
합시다. 그 사람은 잠에 곯아떨어져서 도둑이
옆에서 도둑질을 해도 모릅니다. 비정신적인
세계관 역시 그와 꼭 마찬가지로 어떻게
진실한 길을 벗어나는지 전혀 알아보지
못합니다. 나중에 깨어난 후에야 잠자는
동안 무슨 일이 벌어졌는지 알아보는 사람과
똑같습니다. 그런데 사람이 그런 식으로
잠에서 깨어나면 상당히 괴롭겠지요. 인류는
특정 과정과 질료의 치료력에 대한 지식을
본능적으로 넓히면서 기뻐 날뛸 것입니다.
성적 본능의 특정한 미혹 속에서 더할 나위
없는 쾌감을 맛볼 것입니다. 그 성적인

미혹을 공평무사하고 초인간적인 평등
사상을 고도의 형태로 실천하는 것이라고
미화하고 칭송할 것입니다. 특정 관계에서
보아 추악함이 아름다움이 되고 아름다움이
추악함으로 바뀝니다. 그러나 그 모든 것을
자연적인 불가피성이라 간주하기 때문에
미와 추의 전도를 알아채지 못합니다. 그런데
이런 것은, 인류 자체 안에서 인간의 고유
본성을 위해 예정된 길을 벗어난 미혹일
뿐입니다.

40      어떻게 정신과학이 정견正見으로
파고드는지, 그에 대한 느낌을 습득한
사람이라면, 오늘 여기에서 상술된
진실을 진지하게 받아들일 수 있다고
믿습니다. 그리고 그런 태도가 되어야, 모든
정신과학으로부터 실로 퍼 올려야 할 것을

역시 퍼낼 수 있습니다. 바로 정신과학 안에서 인생을 위한 특정 책임과 의무를 인정하는 태도. 우리가 어디에 서 있든, 우리가 세상에서 무엇을 하든, "우리의 행위에 인지학적 의식이 깊이 배여 있고, 우리의 행위는 그 의식으로 두루 비추어져야만 한다."는 생각을 항상 간직해야 하는 것이 관건입니다. 그러면 인류가 올바른 의미에서 계속해서 발달해 갈 수 있도록 우리가 어떤 일을 할 수 있습니다.

4|     그 진가를 인정하면서 진지하게 정신과학을 공부하면 인생을 위해서는 실용적이고 집약적으로 일할 수 없게 된다고 믿는 사람이 있는데, 이는 완전히 잘못된 생각입니다. 진정한 정신과학이야말로 사람을 일깨웁니다. 오늘 예로 든 바로 그런 것들과 관련해 사람을 일깨웁니다. 사랑하는

여러분, "그렇다면 깨어있는 동안의 삶이
잠에 비해 해로운가?"라는 질문을 할 수
있습니다. 잠에서 깨어나는 것이 평상시의
깨어남이듯, 정신세계의 투시란 평상시의
깨어남에서 그 이상으로 깨어나는 것이라는
비교를 선택하려 한다면, 그러면 그 비교를
이해하기 위해서 "깨어있는 삶이 잠에 비해
정말로 해로울 수 있는가?"라는 질문을 할 수
있습니다. 네, 그럴 수 있습니다. 제대로 살지
않으면 그렇습니다! 어떤 사람이 깨어있는
동안 삶을 제대로 산다면, 그러면 역시 잠도
건강합니다. 하루 종일 졸면서 아무 일도
하지 않고, 게으르고 안일하게 시간을 보내면,
그러면 역시 잠도 제대로 잘 수 없습니다.
우리가 정신과학을 통해서 깨어있는
삶으로서 습득하는 그 삶과 관련해서도 역시
마찬가지입니다. 정신과학을 통해서 우리

내면에 정신세계에 대한 올바른 관계를
만들어내면, 깨어있는 동안의 건강한 삶이
건강하게 잠잘 수 있도록 해 주는 바와
마찬가지로, 감각적인 일상 생활에 대한
우리의 관심이 올바른 관계를 통해서 올바른
길로 인도됩니다.

## 42 바로 우리 시대에 인생을 고찰하는

자, 그는 다양한 것에 주의를 기울이지 않으면
잠이 들 수 밖에 없습니다. 사람들이 '생활
실천'에 대해 특히나 지난 몇 십 년 동안
얼마나 고심했는지! 그렇게 고심한 덕분에
이상적인 것, 정신적인 것, 영적인 것을 가장
심하게 경멸하는 경향이 마침내 사회의 모든
지도층 내부까지 파고 들었습니다. 그리고
인류가 아직은 깊은 나락 속으로 떨어지지
않았기 때문에, 사람들이 온갖 미사여구를

동원해서 그런 생활 실천에 대해 열변을 토할
수 있었습니다. 요즘에는 그나마 그 중 몇
명이 쉰 목소리로 다음과 같이 캑캑거리기
시작했습니다. 그런데 애석하게도 아직은
그조차 대부분 극히 본능적입니다. "새
시대가 도래해야 한다! 무엇이라도 괜찮으니
새로운 이상이 부상해야 한다!" 쉰 목소리로
간신히 그렇게 중얼거립니다. 인간이 의식을
가지고 정신과학에 스스로 익숙해지지
않으면, 상황은 본능적으로 등장합니다.
그러면 그 상황은 어떻든 간에 번성할 수 있는
발달 과정이 되기 보다는 깨어있는 상태에서
체험해야 할 것의 타락이 되고 맙니다.
이미 오랫동안 익숙해진 단어들로 오늘날
사람들 앞에서 열변을 토하는 이들, 그들이
아직까지는 가끔 박수갈채를 받기는 합니다.
하지만 혼돈을 벗어나서 다시금 공동체적

우주에 도달하기 위해서 인류는 다른 어조에,
다른 표현에 적응해야만 합니다.

## 43

인간이 깨어나야 하는 어떤 시대에
깨어날 기회를 놓쳐서 정말로 발생되어야
할 것을 발견하지 못하면, 그러면 아무런
실재도 들어서지 않습니다. 그러면 이전에
흘러간 문화기의 유령들이 돌아다닙니다.
오늘날 수많은 종교 집단 안에서 과거의
유령들이 배회하고 있듯이. 우리의 법률 체계
안에 고대 로마 시대의 유령들이 아직도
배회하고 있듯이. 정신과학은 의식영혼의
시대에 바로 이런 관계에서 인간을 자유롭게
만들어야 합니다. "천사가 우리의 아스트랄체
속에서 무엇을 하는가?" 이런 질문을 통해
정신적 정황을 관찰할 수 있도록 이끌어가야
합니다. 천사를 비롯한 여러 가지에 대해

추상적으로 하는 이야기, 그것은 기껏해야
시작에 불과합니다. 진보는 그에 머물지
않고 구체적으로 논의함으로써 쟁취되어야
합니다. 이는 우리의 특정 시대와 관련해
우리와 직접적인 관계가 있는 질문에 대답을
함으로써 진보해야 한다는 의미입니다.
천사들이 우리의 아스트랄체 속에서
형상들을 만들어내고 있으며, 그 형상들은
미래에 우리의 형태를 이루어야 하고, 그
형태는 의식영혼을 통해 야기되어야 하기
때문에, 어쨌든 이는 우리의 문제입니다.
우리에게 의식영혼이 없다면 이런 문제로
걱정할 필요가 없습니다. 그러면 다른
정신들이, 다른 위계 질서의 존재들이, 우리
아스트랄체 속에서 천사들이 만들어내는
것을 실현하기 위해 조처할 것입니다. 우리가
의식영혼을 발달시켜야 하기 때문에, 다른

정신들은 천사들이 자아내는 것의 실현에
관여하지 않습니다.

**44**　　천사들은 물론 이집트 시대에도
인간에 일을 했습니다. 그런데 그후
곧바로 다른 정신 존재들이 들어섰고,
그로 인해 인간의 환원적·형안적 의식이
흐려졌습니다. 인간이 천사들의 활동 위로
장막이, 두터운 장막이 드리워지는 것을
환원적 형안으로 보았기 때문에 또한
인간 스스로 장막을 드리웠습니다. 그런데
이제는 인간이 그 장막을 벗겨내야 합니다.
바른 그런 연유로 해서, 아직 삼천 년대가
시작되기 이전의 시대에 의식적인 삶으로
들여가야 할 것을 잠자면서 흘려 보내서는 안
됩니다. 인지학적 정신과학에서 온갖 종류의
가르침만 받아들여서는 안 됩니다! 의도 역시

받아들여야 합니다! 그것이 바로 우리에게
깨어있는 인간이 될 수 있는 강인함을 줄
것입니다.

45     깨어있는 인간이 되도록 습관 들일
수 있습니다. 몇 가지를 고려할 수 있습니다.
지금 당장은 한 가지만 주시해 봅시다. 그러면
근본적으로 보아 우리 인생에서 단 하루도
기적이 일어나지 않은 채 지나가는 적이
없다는 점을 알아볼 수 있습니다. 이 문장을
뒤집어서 이렇게 말할 수도 있습니다.
"인생에서 어느 날 기적을 발견하지
못했다면, 우리가 그것을 알아보지 못했다는
것을 의미할 뿐이다." 저녁에 하루를 되돌아
보도록 노력해 보십시오. 그렇게 되돌아 보면
여러분 스스로 크고 작은 사건들, 평범하게
보이는 사건들에 대해 다음과 같이 말할 수

있는 것을 발견하실 것입니다. "내 인생에
정말로 기이한 사건이 등장했다. 정말 기이한
일이 일어났다." 그저 충분히 포괄적으로
생각해 보기만 하면, 영적인 시각으로
삶의 연관성을 충분히 포괄적으로 고찰해
보기만 하면 그 상태에 이를 수 있습니다.
그런데 평상시의 삶에서는 전혀 그렇게 하지
않습니다. 예를 들어서 "무엇이 어떤 계기로
저지되고 말았는가?"라고는 물어보지 않기
때문입니다.

**46** 저지된 일, 발생했다면 우리 인생을
근본적으로 바꾸어 놓았을 것에 대해서는
보통 신경쓰지 않습니다. 어떤 방식으로든
우리 인생에서 제거되는 것들의 배면에
우리를 깨어있는 인간으로 교육하는 요소가
엄청나게 많이 들어있습니다. 오늘 내게 과연

무슨 일들이 모두 일어날 수 있었을까? 매일
저녁 이렇게 질문하면서 이러저러한 일을
일어나게 할 수도 있었을 개별적 사건들을
고찰해보면, 자기 수련에 주의력을 더해주는
생활 고찰이 그 질문에 연결됩니다. 이런
연습은 시작에 해당하는 어떤 것입니다.
그리고 저절로 점점 더 멀리 이끌어가서
마침내 우리 인생에서 그것이 의미하는 바를
탐색하는 데에만 그치지 않게 됩니다. 예를
들어서 오전 열한 시 반에 외출을 하려고
하는데 마침 그때 어떤 사람이 찾아와서
외출을 할 수 없다고 가정해 봅시다.
생각했던 대로 외출을 할 수 없게 되어서
울화가 치밀어 오릅니다. "내가 생각했던 그
시간에 외출을 했더라면, 집을 나섰더라면
과연 무슨 일이 일어났을까?"라는 질문은
보통 하지 않습니다. "내가 만약 그 시간에

외출을 했더라면, 과연 내 인생에서 무엇이
변했을까"라고는 물어보지 않습니다.

47     언젠가 이 자리에서 이런 것에
대해 상세히 이야기한 적이 있습니다. 우리
인생에서 일어나지 않도록 부인되는 것,
그것은 우리 인생을 지혜롭게 인도하는
존재에 대한 증거입니다. 그런데 우리
인생에서 부인되는 것의 관찰에서 우리의
아스트랄체 속에서 활동하고 자아내는
천사들의 관찰에 직접적으로 이르는 길이
있습니다. 우리가 선택해서 갈 수 있는 확실한
길이 있습니다. 이것에 대해서는 다음 강의*
에서 더 이야기하겠습니다.

＊『어떻게 그리스도를 발견하는가?』1919년 10월
　16일 취리히 강연 (푸른씨앗, 2017)

>>> 이 강연은 루돌프 슈타이너가 제1차 세계 대전 때 독일의 여러 도시를 돌면서 인지학 협회 회원들을 대상으로 했던 강연들 중 하나로 항상 다음의 추도사로 강연을 시작했다.

..

사랑하는 여러분, 다른 무엇보다도 이 험난한 시기에 저 바깥의 전쟁터에, 인류 발달을 위해 너무나 많은 것이 결정되어야 할 그 전쟁터에 서 있는 형제들을 기리는 것이 지난 몇 년 간 우리의 관례가 되었습니다. 고찰을 시작하기 전에 그들을 보호하는 정신들을 부르면서 전쟁터에 있는 사람들을  기리도록 합시다.

땅의 영혼들을 지키는 이들이여,

땅의 영혼들을 돌보는 이들이여,

정신들이여, 인간영혼을 보호하면서

세계 지혜로부터 사랑으로 일하는 이들이여:

우리의 간청을 들으소서, 우리의 사랑을 돌아보소서,

임들 구원력의 빛살로 합일을 원하네:

정신을 바치면서, 사랑을 보내면서.


이제 전쟁으로 인해 죽음의 문을 통과한 이들을 보호하는 정신들을 향합시다.


하늘의 영혼들을 지키는 이들이여,

하늘의 영혼들을 돌보는 이들이여,

정신들이여, 영혼인간을 보호하면서

세계지혜로부터 사랑으로 일하는 이들이여;

우리의 간청을 들으소서, 우리의 사랑을 돌아 보소서.

임들 구원력의 흐름으로 합일을 원하네,

정신을 예지하면서, 사랑을 뿜어내면서.


우리가 정신과학을 통해 가까이 다가서고자 하는

그 정신, 지구에는 은총을, 인류에는 자유와 진보를 주고자 골고다의 신비를 통과해 가기를 원했던 그 정신, 그가 임들과 함께 할지니, 임들의 무거운 의무와 함께 할지니.

..

# 루돌프 슈타이너 약력과 저작물에 대한 개관

**1861**  2월 27일 오스트리아 남부 철도청 소속 공무원의 아들로 크랄예베치(지금은 크로아티에 속함)에서 태어남. 오스트리아 동북부 출신의 부모 밑에서 오스트리아의 여러 지방에서 유년기와 청소년기를 보냄

**1872**  비너 노이슈타트 실업계 학교에 입학해 1879년 대학 입학 전까지 수학

**1879**  빈 공과 대학에 입학. 수학과 자연과학을 비롯하여 문학, 철학, 역사를 공부하고 괴테에 관한 기초 연구 시작

**1882**  최초의 저술활동 시작

**1882~1897**  요세프 퀴르쉬너가 주도하는 〈독일 민족 문학〉 전집에서 괴테의 자연과학 논문에 서문과 주해를 덧붙이는 일을 맡아 『괴테의 자연과학 저술에 대한 도입문과 주석』 5권 *(GA 1a~e)* 발간

**1884~1890**  빈의 한 가정에서 가정교사로 생활

**1886**  '소피' 판 괴테 작품집 발간에 공동 작업자로 초빙. 『실러를 각별히 고려한 괴테 세계관의 인식론 기본 노선들』 *(GA 2)*

**1888**  빈에서 〈독일 주간지〉 발간. *(GA 31)* 빈의 괴테 협회에서

강연 「인지학의 방법론적 근거: 철학, 자연과학, 미학과 심리학에 관한 논문집」 *(GA 30)*

**1890~1897** 바이마르에 체류하면서 괴테/실러 문서실에서 공동 작업. 괴테의 자연과학 저작물 발간

**1891** 로스토크 대학에서 철학박사 학위를 취득하고 이듬해에 박사 학위 논문 증보판 출판. 〈진리와 과학: 「자유의 철학」서곡〉 *(GA 3)*

**1894** 「자유의 철학: 현대 세계관의 근본 특징, 자연과학적 방법에 따른 영적인 관찰 결과」 *(GA 4)*

**1895** 「프리드리히 니체: 시대에 맞선 투사」 *(GA 5)*

**1897** 「괴테의 세계관」 *(GA 6)* 베를린으로 거주지를 옮기고 오토 에리히 하르트레벤과 함께 〈문학 잡지〉와 〈극 전문지〉 발행. *(GA 29~32)* '자유 문학 협회', '기오르다노 브르노 연맹', '미래인' 등에서 활동

**1899~1904** 빌헬름 리프크네히트가 세운 베를린 '노동자 양성 학교'에서 교사로 활동

**1900~1901** 「19세기의 세계관과 인생관」집필 (1914년 확장판으로 「철학의 수수께끼」 *(GA 18)* 발표) 베를린 신지학 협회 초대로 〈인지학〉 강연 「근대 정신생활 출현시기의 신비학과 현대 세계관과의 관계」 *(GA 7)*

**1902~1912** 〈인지학〉을 수립하고 정기적인 공개 강연(베를린)과 유럽 전역을 대상으로 하는 강연 활동 시작. 지속

적인 협력자로 마리 폰 지버스(1914년 슈타이너와 결혼, 이후 마리 슈타이너)를 만남

**1902** 『신비로운 사실로서의 기독교와 고대의 신비들』 *(GA 8)*

**1903** 잡지 〈루시퍼〉(나중에 〈루시퍼-그노시스〉로 변경) 창간. *(GA 34)*

**1904** 『신지학: 초감각적 세계 인식과 인간의 목적에 대한 소개』 *(GA 9)*

**1904~1905** 『고차 세계의 인식으로 가는 길』 *(GA 10)* 『아카샤 연대기에서』 *(GA 11)* 『고차적 인식의 단계들』 *(GA 12)*

**1909** 『신비학 개요』 *(GA 13)*

**1901~1913** 뮌헨에서 『네 편의 신비극』 *(GA 14)* 초연

**1911** 『인간과 인류의 정신적 인도』 *(GA 15)*

**1912** 『인지학적 영혼의 달력: 주훈週訓』 *(GA 40)* 『인간 자아 인식으로 가는 길』 *(GA 16)*

**1913** 신지학 협회와 결별. 인지학 협회 창립. 『정신세계의 문지방』 *(GA 17)*

**1913~1922** 첫 번째 괴테아눔 (목재로 된 이중 돔형 건축물로 스위스 도르나흐에 있는 인지학 본부) 건축

**1914~1923** 도르나흐와 베를린에 체류하면서 유럽 전역을 순회하며 강연 및 강좌 활동. 이를 통해 예술, 교육, 자연과학, 사회생활, 의학, 신학 등 수많은 영역에서 쇄신

이 일어나도록 자극. 동작예술 오이리트미(Eurythmie, 1912년 마리 슈타이너와 함께 만듦)를 발전시키고 교육

**1914** 『인간의 수수께끼에 관해』 *(GA 20)* 『영혼의 수수께끼에 관해』 *(GA 21)* 『〈파우스트〉와 〈뱀과 백합의 동화〉를 통해 드러나는 괴테의 정신적 본성』 *(GA 22)*

**1919** 남부 독일 지역에서 논문과 강연을 통해 '사회 유기체의 삼지적 구조' 사상을 주장. 『현재와 미래의 불가피한 사항에 있어서 사회 문제의 핵심』 *(GA 23)*, 『사회 유기체의 삼지성과 시대 상황(1915~1921)에 대한 논문』 *(GA 24)* 같은 해 10월에 슈투트가르트에 죽을 때까지 이끌어 가는 '자유 발도르프학교' 세움

**1920** 제1차 인지학 대학 강좌 시작. 아직 완성되지 않은 괴테아눔에서 예술과 강연 등 행사를 정기적으로 개최

**1921** 본인의 논문과 기고문을 정기적으로 싣는 주간지 〈괴테아눔〉 *(GA 36)* 창간

**1922** 『우주론, 종교 그리고 철학』 *(GA 25)* 12월 31일 괴테아눔 방화로 소실(이후 콘크리트로 다시 지을 두 번째 괴테아눔의 외부 형태 설계)

**1923** 지속적인 강연과 강연 여행. 같은 해 성탄절에 '인지학 협회'를 '일반 인지학 협회'로 재창립

**1923~1925** 미완의 자서전 『내 삶의 발자취』 *(GA 28)* 및 『인지학의 기본 원칙』 *(GA 26)* 그리고 이타 베그만 박

사와 함께 『정신과학적 인식에 따른 의술 확대를 위한
기초』(GA 27)를 집필

<u>1924</u> 강연 활동을 늘리면서 수많은 강좌 개설. 유럽에서 마지
막 강연 여행. 9월 28일 회원들에게 마지막 강연. 병상
생활 시작

<u>1925</u> 3월 30일 도르나흐에 있는 괴테아눔 작업실에서 눈을
감다.

## 옮긴이의 말

이 강연은, 세계 대전이 막바지에 접어든 1917년
11월부터 1918년 10월까지 루돌프 슈타이너가 독
일과 스위스에서 한 7회의 강연을 묶은 단행본
『죽음, 이는 곧 삶의 변화이니!』(GA 182)에 실려
있다. 슈타이너는 이 강연들을 통해 정신적인 존
재들과 인간의 관계를 사람들의 의식 속에 불러
일으키고자 했다. 전쟁의 원인은, 당시의 사회
구성원들이 영적인 표상능력의 부재로 인해 정
신세계에서 인간의 사회생활로 흘러 들고자 하
는 정신적인 것을 거부했다는 데에 있다고 보았
기 때문이다.

〈천사는 우리의 아스트랄체 속에서 무엇을 하는가?〉는 그 7회의 강연 중에 백미라 해도 과언이 아닐 것이다. 제목만 보면 보통 사람은 이해할 수 없는 정신세계에 관한 것이 아닐까 하는 의구심이 들겠지만, 그 내용은 놀라울 정도로 우리의 실생활과 직결된다. 비록 인류가 근대들어 정신세계에 대한 구체적인 관계를 완전히 잃어버렸지만, 어떻게 그 세계가 여전히 인간 사회에 영향을 미치는지, 그리고 인간이 정신세계와 정신적 존재들의 영향과 활동에 의식적으로 동참하지 않으면 인류의 미래 사회에 전쟁 외에 어떤 일이 더 벌어질 수 있는지를 세 가지 차원에서 보여준다. 그 첫 번째는 사랑과 형제애를 잘못 이해함으로써 사회에 성적인 본능이 추하게 만연할 것이고, 두 번째는 특정 질료에 대한 본능적인 인식에서 파괴적인 의학이 생겨날 것이며, 세 번째는 극미의 촉발로 엄청난 힘을 방출시키는 기술이 발달될 것이라 했다.

실로 소름끼치는 말이겠지만, 100년 전에 언급한 이 세 가지는 오늘날 사회에서 이미 뚜렷하게 현실화되었다. 오늘날 사회 현상을 앞의 세 관점에서 고찰해 보면, 슈타이너가 당시에 예견한 사건은 이미 일어났으며, 현재 인류 사회는 아리만과 루시퍼적 세력의 손아귀에 들어 있다고 말해야 정직한 것이다. 바로 그래서 이 강연은 당시 보다 오늘날 사람들이 더욱더 절실히 마음에 새겨야 하는 것이 되었다. 이제는 언젠가 일어날지도 모를 일에 대비하는 정도로는 부족하다. 일어나서는 안되는 일이 일어났기 때문에 이제는 적어도 인지학적 정신과학과 관여하는 사람 각자가 정신세계에 대한 관계를 더욱더 의식적이고 능동적으로 복구하기 위해 노력해야 할 뿐, 다른 길은 없어 보인다. **

천사는 우리의 아스트랄체 속에서 무엇을 하는가?
Rudolf Steiner 강연 \ 최혜경 옮김

1판 1쇄 발행 2017년 12월 25일

펴낸이 발도르프 청소년 네트워크 도서출판 푸른씨앗

    편집 백미경,최수진 디자인 유영란,이영희
    번역·기획 하주현 마케팅 남승희 해외 마케팅 이상아

    등록번호 제 25100-2004-000002호
    등록일자 2004.11.26.(변경신고일자 2011.9.1.)
    주소 경기도 의왕시 청계동 440-1 전화 031-421-1726
    전자우편 greenseed@hotmail.co.kr 홈페이지 www.greenseed.kr
    페이스북 www.facebook.com/greenseedbook

이 책의 국립중앙도서관 출판예정도서목록(CIP)은 서지정보유통지원시스템 홈페이지(seoji.nl.go.kr)와 국가자료공동목록시스템(nl.go.kr/kolisnet)에서 이용하실 수 있습니다.(CIP제어번호: CIP2017033307)

값 6,000 원
ISBN 979-11-86202-17-3 / 9791186202159 (세트)

재생 종이로 만든 책

**푸른 씨앗의 책은 재생 종이에 콩기름 잉크로 인쇄합니다.**
**겉지_** 두성종이 마분지 209g/㎡
**속지_** 전주페이퍼 Green-Light 100g/㎡
**인쇄_** (주) 재능인쇄 | 031-948-5414

## 루돌프 슈타이너 1861~1925  강연

오스트리아 빈 공과대학에서 물리와 화학을 공부했지만 실은 철학과 문학에 심취해서 후일 독일 로스톡 대학교에서 철학박사 학위를 받았다.

바이마르 괴테 유고국에서 괴테의 자연과학 논설을 발행하면서 괴테의 자연관과 인간관을 정립하고 심화시켰다. 정신세계와 영혼 세계를 물체 세계와 똑같은 정도로 중시하는 인지학을 창시했다. 제1차 세계대전을 기점으로 추종자들의 요구에 따라 철학적, 인지학적 정신과학에서 실생활에 적용할 수 있는 학문분야를 개척하기 시작했다. 인지학을 근거로 하는 실용학문에는 발도르프 교육학, 데메테르 농법, 인지학적 의학과 약학, 사회과학 등 인간 생활의 모든 분야가 포함되며, 그 외에도 새로운 춤 예술인 오이리트미를 창시했고, 연극예술과 조형예술을 심화발달시켰다.

슈타이너는 자연과학자 헥켈, 철학자 하르트만 등 수많은 철학자, 예술가와 교류했다. 화가 칸딘스키, 클레, 에드가 엔데, 작가 프란츠 카프카, 스테판 츠바이크, 모르겐슈테른 등에 큰 영향을 미쳤다. 스위스 도르나흐에 세운 괴테아눔은 현대 건축사에 중요한 한 획을 그은 건축물로 손꼽힌다.

슈타이너의 저작물과 강연집은 루돌프 슈타이너 전집으로 출판되고 있는데, 현재 약 360권에 이른다.


## 최혜경 www.liilachoi.com  옮김

본업은 조형 예술가인데 지난 20년 간 인지학을 공부하면서 루돌프 슈타이너의 책을 번역해 왔다.

쓸데없는 것에 관심이 많은 사람이라 그림 그리고 번역하는 사이사이에 정통 동종요법을 공부하고, 약이 꼭 필요하다고 생떼를 쓰는 사람이 있으면 처방도 한다.

번역서_『발도르프 학교와 그 정신』,『자유의 철학』,『교육예술 1, 인간에 대한 보편적인 앎』,『교육예술 2, 발도르프 교육 방법론적 고찰』,『교육예술 3, 세미나 논의와 교과과정 강의』,『발도르프 특수 교육학 강의』,『사회문제의 핵심』,『사고의 실용적인 형성』,『인간과 인류의 정신적 인도』,『젊은이여, 앎을 삶이 되도록 일깨우라!』밝은누리

저서_『유럽의 대체의학, 정통 동종요법』북피아